The Best of The Torry Quine
by June Imray

DAVIS MEDIA

Aberdeen

Published by Davis Media 2010

Email: contact@davismedia.co.uk

ISBN: 978-0-9541458-1-1

This book succeeds "The Quine Who Does the Strip at Inverurie: Song, Poems & Stories by the Torry Quine", published by Wellwood Publishing 2001 (ISBN: 978-0954145804)

Contents

(The first 22 songs and poems appear in the same order as listed on the accompanying CD)

The Quine Who Does the Strip at Inverurie

(Sung to the tune of 'The Man Who Broke the Bank at Monte Carlo')

Oh, I'm nae Brigitte Bardot and I'm nae Sophia Loren
Miss United Kingdom? Oh, no, ye're wrang again
And I'm nae Prince Charles' girlfriend, or even Miss Grumpian,
I'm the Quine that dis the Strip at Inverurie

Oh, I used tae operate a loom in Richards Factory
I liked it fine enough, but it jist wisna right for me
Wi' my figure and my looks, and my personality
I wis born tae dee the Strip at Inverurie

I teen a bussie tae the Castlegate, one day tae see the sights
A mannie says *"Hey darlin', wid ye like tae hit the heights?*
"Oh, ye're wasted in a factory - I can pit yer name in lights"
So, I signed tae dee the Strip at Inverurie

Oh, I met a fermer at a dunce - he asked tae see me hame
He started gettin' funny, fin he got me up a lane
I says *"Fa d'you think I am? I'm nae jist onib'dy, ye ken...*
"I'm the Quine that does the Strip at Inverurie"

Oh, I met a Texas millionaire - he swept me aff m' feet
He gave me furs and diamonds, an' a shop in Union Street
Oh, he winted me tae mairry 'im, but I found I couldna dee't
'Cause I wid miss the fun I hae at Inverurie

Oh, they phoned me up fae Grumpian - they said *"We'll do a deal...*
"Yer fee'll be a fiver, and a lovely canteen meal"
Though I couldna spik for laughin', I says *"Hey min, da be feel...*
"I strip for £80 at Inverurie"

Oh, I think I'll still be at it, even when I'm old and grey
I winna gie up strippin', till they carry me away
When I reach the pearly gates at last, I'll be really proud to say
"I'm the Quine that did the Strip at Inverurie!"

Sally's Wedding

(Poem)

Ida Smith met Betty Clark, one mornin' in the toon
Says Ida Smith tae Betty Clark *"Ye hinna been aroon...*

I wis hopin' ye wid come wi' me tae get m' Coopie Divie"
Says Betty Clark *"M' back's 'at sair, I ca' lift on'thing hivy"*

"Yer Divie's nae a fortune - yer purse'll nae get laden
Niver mind now, gie's yer cleck - are ye gan tae Sally's weddin'?"

"Is Sally gettin' mairriet? I niver heard a word!"
"Oh, aye, she's getting' mairriet... I'm surprised you hinna heard

Her divorce come through one Monday, she went oot tae get a drink,
met 'is mannie in a pub an' he fell hook-line-and-sink.

He's affa nice, aboot six foot three, wi' bonnie sparklin' eyes
He thinks the world o' Sally. I da think he's wise!

Imagine haein Sally - six kids, an' terrible at cookin'...
and.45 if she's a day! I think his heid needs lookin'!

Of course, it's nae a bed o' roses - he's workin' on a rig
Awa' twa wiks oot o' three. Of course, the money's affa big

Oh, aye, ye widna credit it - they're makin' smashin' money
Mind you, she's got her hands full there - they a' spik affa funny

It's a'cause o' them Americans - oh, they're nae the same as us
They wear cowboy hats, an' cowboy boots, an' they niver tak' a bus

Ye canna get a taxi on a Friday, for a start
They're full o' Texas oilmen, or fermers fae the mart!

An' hooses - what a problem! Oh, it's really gettin' bad
Sally's lookin' for a new een, for her six kids and her lad

She's hunted roon for ages - she's goin' oot the day, again
But ye canna get een, nae place - they're full up in Rubislaw Den

Oh, aye, she's movin' up the toon... well, it's better for the bairns
Oh, Sally's come a lang wye since she wis stanin, guttin herrins!

Mind you, she'll niver change 'er wyes. Well... ye ken fit like she is
She winna tak' a tellin' - she's as feel as Auntie Liz

They're gettin' mairriet in the Registr'y - they've already cried the Bans
Their reception is a barbecue – oot at Balmedie Sands!

I says "Sally, it's December! We'll a' get soakin' weet!"
She says "Ida, fin yer mad wi' love, ye dinna think aboot yer feet"

So, Betty, dinna worry if she's nae invited you
It'll be a right disaster - we'll a' come doon wi' flu!

I'm only gan 'cause Sally's asked me, an' I'm weerin' something swunkie
An' of course, as the Bridesmaid, I'm hopin' tae get aff wi' the Best Man...

...Jimmy Spunkie!"

Castlegate Ina

(Sung to the tune of 'Burlington Bertie from Bow')

I'm Castlegate Ina - there's naebody finer ...
I wak Union Street dressed in style
The bobbies a' ken me - the toon thinks it ains me...
the Lord Provost gies me a smile

Oh, I da get conceited at the wye I am treated
But I like bein' famous - ye jist canna beat it

I'm a fine quine, 'though I hinna a dime...
still, I dinna dee naeb'dy nae hairm
I'm an Aiberdeen lassie - I'm poor, but I'm classy...
I'm Castlegate Ina, ye ken?

I'm Castlegate Ina - I winna deny...
a' the things that they say aboot me
I've been in the papers - the results o' m' capers...
wis instant notoriety

On a bus, I'd nae fair, an' tho' I wisna carin'
The conductor says *"aff!"* - I says *"Hey, keep yer hair on...*

I'm gan hame, so jist tak' m' name...
and I'll send ye the four-pence, forthwith"
He says *"Da mak me laugh now, come on an' get aff now...*
Yer Castlegate Ina, I ken"

They sent for a bobby - syne Baillie McRobbie says...
"Ina, this jist winna dee...
Ye've hid umpteen fines, ye've been jailed siven times...
Oh, yer deevin' the life oot o' me"

I says *"Sorry yer sick, Sir - I'll gie you nae mair chick, Sir...*
I'll keep aff the busses an' be good for a wik, Sir"

The court laughed, an' he says *"Yer daft ...*
but I'll stand ye a pie for yer tea"
I says *"Not on your Nelly! Your only a Baillie...*
but I'm Castlegate Ina, that's me..

Oh, it's nae that I'm snobby but, Baillie McRobbie...
I'm Castlegate society!"

Hogmanay

(Poem)

Is this nae affa? Hogmanay, an' niver one first foot
Is this nae affa? Me, m'sel, an' Hogmanay runnin' oot

I've got m' whisky, got m' cake, an' a Jimmy Shand LP
They're haein' a party up the stair, but naebody's looked near me!

I widna care - I've deen the hoose, an' I've cleaned the lobby stair
The place is like a palace now - but there's naebody here tae care!

Far's a' the folk that I helped oot, 'is year that's jist gone past?
Ye'd think they'd come tae wish me luck - but their memories dinna last

Midnight come, the bells rang oot, I wis near enough tae greet
I says tae m'sel "Here's a' the best - it looks as though ye'll need't"

I've read the paper end tae end - I've knitted m' fingers sair
But, och, the time gings by 'at slow, fin naebody else is there

I'm 'at deid tired, I'm near asleep - I could really go m' bed
But fa wints tae see the aul' year oot, an' *"A Happy New Year"* nae said?

I could murder my pal, Muggie Tait - she said that she'd be roon
I might have kent she widna come - she aye lets a'body doon

'At 14 bussie's passed my door, a dizen times or mair
But the twinty folk, that it let aff, hiv a' gone up the stair!

There's three drunk mannies sittin' doon, in the middle o' the street
If 'at new bobby catches them, they'll soon be on their feet!

The wifie Smith, across the road, is singin' - what a din!
She's surely got her corsets on - she's lookin' affa thin

Oh, 'is Hogmanays is nae the same, as fin I wis a quine
Oh, whit a time we used tae hae - it wis rare - I mind it fine

M' Ma an' Da wid gie's a tune - m' Uncle Tam wid sing
An' m' Grunny - she'd bring doon the hoose, deein the Highland Fling!

Ah, weel, 'em days is lang past gone. Oh, me, I'm gettin' aul'
It's affa tae think it's Hogmanay, an' naebody's gien's a call

'At's niver a knock at my front door?! Oh, aye, I think it is!
It's Muggie Tait an' Doris Clark - an' is that her quinie Liz?

"Am I right gled tae see ye! I wis hopin' you'd be here...
Come in, we'll hae a drinkie now... tae a really Good New Year!"

Ida's Diet

(Poem)

Betty baked a fruit cake - and asked Ida Smith tae try it
Says Ida Smith *"I'd better nae - I'm on a six months diet*

Ken 'is, it's really murder - I'm nae allowed nae breid…
An' tatties darena pass m' mou' - I might as well be deid!

They've hidden a' the sweeties - 'at's right, 'at's nae a lee
I'm dyin' for a biscuit, or a rowie wi' m' tea

I widna care - I'm nae that bad - ye couldna ca' me fat
If I pit my lacin' corset on, I can get as thin as 'at!

It's o'er the heids o' Sally, this - she's jist gone slimmin' mad
She says "Oh, Ida, help m' oot - I'm gettin' really bad…

M' hips is up tae 38 - an' I've got a double chin
Come on, we'll start a diet - and we'll baith get really thin"

Well, I wisna keen, I tell ye… well, fit difference dis it mak?
I mean, once ye get past 40, the clock'll nae ging back

But, Sally, she's determined – oh, Betty, what a case!
She's selt her tumble drier, tae get surgery on 'er face!

They're gan tae cut her wrinkles oot, an' the bags aneeth her een
I says "Yer heid needs lookin' - can ye nae get 'at bit deen?"

She says, "Ida, you're aul' fashioned - 'is is 1976…
'Ere's nithing wrang wi' onib'dy, 'at a surgeon couldna fix…

Look at you! Yer hair's a mess - yer claes is oot o' date...
You'd better get yersel in trim, afore it gets ower late"

Well, of course, 'at made me feel jist great - she hid me near in tears
I wint hame an' says, tae Bobby, "Div you think I look my years?"

He says "Oh, Ida, fit's 'is now? Hiv you gone really feel?
Yer middle-aged an' overweight - ye ca' look young, as weel!"

Well, Betty, 'at jist made me mad. I says "What a chik you've got...
You've nae room tae criticise, 'cause you da look so hot!"

So I made m' mind up, there an' then, I'd get m'sel' in shape
Then I'd buy m'sel' some funcie frocks, an' jist leave him tae gape!

But, oh me, whit an effort. Ken, it gets ye affa doon
Hey - get oot yer bag o' pandrops, an' we'll really go tae toon!

The Ladies Choice

(Sung to the tune of 'Hey There - You with the Stars in Your Eyes')

Hey there - you wi' the wart on yer nose
'Is is a Ladies Choice now - yer lucky it's you I've chose!
Hey, come on an' get on yer feet - we'll hae a dunce now...
And, if you play yer cards a' right – well, it's me ye'll tak' hame the night
Oh, I ken ye're a bittie tight - but still, ye'll dee

Hey there - you wi' the greasy hair
Fit did ye say yer name wis? Herbert? Is 'at nae rare?!
An' ye work on a Coopie van? Well, 'at's jist smashin'
Oh, aye, yer full o' the repartee - yer like Ludovic Kennedy
Of course, 'at's aye the wye wi' me - I can really pick 'em!

Hey there - you wi' the wanderin' hans
If 'at's how yer feelin', Herbert - I widna start makin' plans!
If yer thinkin' o' gettin' funny – well, jist forget it
Because I'm on tae your evil ways - it's nae een o' your lucky days
Wid ye mind gettin' aff m' taes? M' feet's a' sair!

Hey there - you wi' the squint in yer eye
Efter we've deen 'is dunce now – Herbert, we say "goodbye"
Oh, it's nae that yer nae good lookin' - 'cause, ye ar'na!
It's jist, finiver ye hud m' near - oh, I ca' stand the smell o' beer
An' the wye that ye lick m' ear - gies me the jandies!

Hey there - you wi' the slivery mou'
It's time you wis gettin' hame now - 'cause hey, min, you're really fou!
Tak' yer han' aff m' leg right now - 'cause abody's watchin'
An' will ye stop hudin' me sae tight? Look, m' airms is a' turnin' white!
Dis your Ma' ken you're oot the night? Her heid needs lookin'!
Hey there – you's that's a' funcy free

14

Next time you're at the 'Palais' – oh, da be a feel, like me
Da ging up for a Ladies Choice - 'cause 'at's jist murder
And, if you've heard a word I've said - tak 'is warnin' 'at I've jist made
Oh, yer better tae bide in bed - than ging oot duncin'!

Granny's Bucket

(Poem)

Ida Smith met Betty Clark one mornin' in the Green
Says Ida Smith tae Betty Clark *"Hey, ken far I've jist been?*

I've been roon at Bobby's Grunny's - oh, what a state she's in
Would you believe that somebody's gone and pinched her rubbish bin?!

She got it at the Coopie - spleet new, and pinted black
They delivered it on Monday, and she put it roon the back

She filled it up with peelings, and the ashes fae the grate
An' she left it for the scaffies, to collect at half-past eight

On Tuesday morning, sharp at nine, she his a cup o' tea...
Tak's a lookie at her P&J, an' 'en starts roon tae me

Well, she's jist aboot gan oot the door - fin she minds aboot her bin
And she thinks "They'll hae it emptied now - I'll better tak' it in"

So, she walks along the lobby, and opens up the door
And the pavement's standin' empty! The bucket is no more!

She comes roon tae me in floods o' tears, and says "Ida - it's awa'!"
Well, I thought she meant her budgie - it's nae been weel, at a'

I says "Grunny, fit's awrang wi' ye?" She says "M' rubbish bin's been took"
I says "Nae yer brand new bucket?" She says "Aye, I've hid a look!"

"I've hunted roon the backie - and up the road, an'a...
But I canna find it nae place – somebody's teen't awa'!"

Well, Betty, I wis furious! - I says "Grunny, leave't tae me...
I'm gan roon tae tell the bobbies - an' we'll see fit they can dee"

So, I marches to the station, and I asks tae see The Boss
He says "Ida, fits awrang wi' ye? Hiv ye hid some grievous loss?"

I says "Dinna you get chiky - and prepare tae tak 'is doon...
Oor Grunny hid her bucket pinched, early 'is forenoon"

He says "Hey, hiv you gan aff yer heid? Hiv I nae mair adee...
than worry aboot buckets - an me, Chief o' C.I.D?!"

I says "Hey, min, da you get like 'at - I mind fan you wis three...
An' you, and a' yer faim'ly, bade across the road fae me

You wis heided for Craiginches, ye wis sic a blimin' feel
So, dinna you get big wi' me - 'cause I ken you too weel!"

He says "I'm up tae here in work - but I tell ye fit I'll dee...
I'll pit my best man on it – now, awa' and let me be"

So, in comes 'is little bobby, and tak's oot his little book...
And he says "About the missing bin - can you tell me how it looked?"

I says "Like ony ither bin - ye can see them ony day
It wis black and hid a hun'l – now, fit mair is there tae say?!"

He says "That won't assist me much" - an' his face starts lookin' glum
So, I says "Well, loon, for fit it's worth - it wis aluminium"

Continues on next page...

Ye'd have thought he'd heard fae Sunty - he jist wint o'er the moon
An' oot he goes, like Sherlock Holmes, tae question half the toon

Well, me, I heids for Grunny's - an' I've jist got aff the bus...
Fin I sees 'is crowd aroon her door - an' I says "Fit's a' the fuss?"

Then up pipes Jimmy Thomson - 'ats him fae up the stair
He says "I wint roon tae number 40 - 'cause I thought I'd find it there...

'On chiky kids o' Lizzie's had teen it for a laugh
But da you worry, Grunny, 'cause I seen tell't them aff"

I says "Wait till I get huds o' them - they've jist gone o'er the score
They've got me black affronted now - I'll be feart tae cross the door!"

"There's half the Lodge Walk bobbies oot lookin' for 'at bin
If they come across een like it, they'll be haulin' someb'dy in!"

So, Betty, dee's a favour - till they start on somethin' new
I'm hidin' fae the bobbies - can I come and bide wi' you?!"

The Cafe Quine's Lament

(Sung to the tune of 'My Favourite Things' - except for the last verse on this page, which is
sung to 'The Sound Of Music' - then it's back to 'My Favourite Things' on the next page!)

Work in a cafe is nae very funny
It's affa lang 'oors, an' it's affa poor money
I widna be here, if I hid ony sinse
I'm up tae my elbas in tatties an' mince

Fin the beef's aff...
An' the soup's caul...
An we're oot o' cheese...

I gings tae my boss an' says *"Gie me my cards...
Oh, dee me a favour - PLEASE!"*

M' Ma says "Yer feel – oh, fit's wrang wi' ye, Mary?
Yer heid's needin' lookin' – it's too 'airy fairy'
Yer heid's full o' rubbish ye get oot o' books"
But I'm sick o' the company o' cleaners an' cooks

Fin my back hurts...
An' m' feet's sair...
An' I'm seein' reid...

I says *"Somebody, please tak' me oot o' this place
Afore I ging aff my heid!"*

I gings for a dunce, on my evenin's aff
The Palais is rare, on a Friday night
I meets a' m' pals, an' we hae a laugh
I dinna ging hame, 'til I'm feelin' tight

Continues on next page...

Once, I got aff wi' a lang distance driver
I kint he wis rich, 'cause his meal cost a fiver
He winted tae meet me in Holburn Junction
But I couldna go - we wis haein' a function

Wi' yer high tea...
An' yer hot chips...
An' yer greasy pie...

If 'is is fit life in a cafe's aboot...
It's time that I said "GOODBYE!"

Now I am mairriet, an' I've got a bairn
We hinna a hoose, so m' Ma an' me's sharin'
She dis the cleanin' - an' I cook the meals
I'll hae tae get oot - 'cause it's drivin' me feel

Fin the bairn greets...
An' m' man bawls...
An' we start tae deev...

I says *"Let me get back tae my wonderful caff...
Fit wye did I iver leave?!"*

The Schoolboy

(Poem)

I'm fed up - are you fed up? Aye, I'm fed up an'a
I ca' get tae school the day - I've tae bide here wi' m' Ma

I've got reid spots o'er m' shooders - an' doon m' back, as weel
Oor doctor says it's the measles - I think oor doctor's feel

It's jist a jobbie nettle, I got doon at the Dee
'Em doctors, oh they're a' the same - 'ere's nithin' wrang wi' me

Here's me missin' a'thing - an' we've got oor gym, the day
I get tae pit the team bands oot, an' put the bars away

I'm jist oor teacher's pet, ye ken - I collect the dinner money
I da like oor Heidie, though - oor Heidie's really funny

An' I canna stand the Jannie - oh, he's horrible, is him
Gie's me the creeps tae see him - he's great big, an' he's thin

He caught me in the lavvies, once - I wis smokin' a cigar
He says *"Aye, aye, fit's gan on here? Oh, I ken fa you are...*

Ye're Muggie Johnston's loon, aren't ye?" An' he clipped m' roon the ear!
Oh I dinna like oor Jannie - I think oor Jannie's queer

Imagine hittin' me like 'at? Me, 'at's only ten
I'm gan tae get my ain back, though - fin I see my Da again

My Da, he's doon in London – ah, well, 'at's fit m' Ma aye says
Oh, she must think I'm really feel - he's in the jail in Inverness!

Continues on next page...

He got drunk an' hut a bobby, an' knocked his helmet aff!
Oh, aye, I really like my Da - my Da aye mak's me laugh

He lets me drink his beer up, onytime my Ma's nae there
My Da would tak' on onyb'dy - my Da, he disna care!

M' Ma's an affa wifie though - she bawls an' shouts at me
She says "Will you jist stop 'at noise - or ye'll be the death o' me!"

She thinks I'm in my bed 'iv now - she's awa' tae get 'er washin'
She says *"You dare move 'e time I'm oot - an', my loon, you'll get a thrashin'!"*

Oh, 'at's her back... I'd better go - or she'll beat me black an' blue
Now, da you tell her I wis here - or I'll get my Da tae you!

Ida The Babysitter

(Poem)

Ida Smith met Betty Clark, at the door o' number '3'
Says Ida Smith tae Betty *"Ken 'is? A'thing happens tae me*

Look at the bags aneeth my eyes – I'm just aboot ca'd deen!
I hinna slept since Seterday! Ye ken far I've jist been?

I've been bidin' roon at Nellie Thom's - she sent for me, last wik
She's jist acquired her latest bairn - an' she come doon affa sick

So they teen her tae the hospital - an' ye ken her man's at sea
Well, 'at left her kids wi' naebody – well, 'at's naebody, except me

So, I packs m' case, an' roon I goes – an' they're sittin', good as gold
An' I says "Now, we'll get on jist great – if ye a' dee fit yer told"

Well, the four o' them jist looks at me - as if I've spoken Dutch
So I says "Now, tell me, fit's for tea?" - an' 'is een says "Nae much!"

I says "Well, Johnnie's shop's nae shut - awa' an' get some ham"
An' the chorus starts "We da like at' - we jist like breid an' jam"

So, I looks ' em straight atween the een - an' I says "As lang's I'm here…
Yer eatin' three square meals a day - OK? Ye got 'at clear?"

Then, up pipes little Archibald - "I da like you, ava"
I says "The feelin's mutual – tak yer fingers aff at' wa'!"

"Now, ging an' get yer faces washed – an' I'll set oot yer tea
An' da' start nae fightin', now – or ye'll get the worst fae me"

Continues on next page...

Well, I bought them in their ham and eggs - they polished 'at aff quick
An' then they asked for plates o' chips - an' the little een wis sick!

It wis like a Christmas pantomime – jist gettin' them tae their bed
An' then, the quinie, she shouts doon "The budgie's nae been fed"

I spent the best part o' an' 'oor - lookin' for its' seed
Then, I finally gave it tattie crisps - in the mornin' it wis deid!

Well, they made me feel like Crippen - what a cairry on they hid
I hid tae buy anither een - an' 'at cost me a quid

At five o'clock, I get aff 'e bus - 'ere's a bobby on the stair
He says "Hiv you lost ony bairns?" - I says "Nae that I'm aware"

Then, up comes little Archibald - they'd found him in Dundee!
He'd got on the train, 'at mornin' - so's tae run awa' fae me!

Well ,we got 'at business sorted oot - an' we settled doon tae sleep
An' I've jist aboot got dozin' aff - fin the little een starts tae weep

I says "Hey, min, fit's awrang wi' ye?" - He says "I wint m' Ma"
I says "Come on, now, da greet - she'll soon be wi' ye a'!"

"I'll let ye cuddle in wi' me" - he gets in wi' icy feet...
An' I wakken up at three o'clock - an' 'ere's the bed, a' weet!

I tell ye, it wis murder - I nearly wint insane
It wis like a gift fae hivven - tae see Nellie back again

Mind you, oor hoose is quiet, kind - I nivver thought I'd be carin'
But I've got 'is bugs o' sweeties, here - I'm gan roon tae see the bairns!

The Torry Quine

Oh, I'm a West End wifie - an' I bide in Aiberdeen
I'm middle class - and educated, up past siventeen
I'm weel set up in comfort - an' there's nithin' I need borry
But I canna ca' m' hert m' ain - I left it o'er in Torry

Oh, far's the twa wee roomies - far I bade wi' Ma an' Da?
An' far's the quines I played wi? - Oh, they're surely nae awa'?
An' the loon that I wis feel enough - tae say I widna mairry?
Oh, I dinna see them ony mair - I left them a' in Torry

There wis times fin we hid nithin' - but some porridge for wir tea
An' m' Da, he chauved right sair - tae gie a better life tae me
So, I left the school, an' wint awa' - an', oh, I wisna sorry
But I'm gettin' aul', I miss m' frein's - I'm needin' hame tae Torry

Oh, I ken that life wis coorse tae us - the time that I bade there
There wis some wid get, an' some wid wint - and, oh, it wisna fair
But, ye teen it a', an' hurt inside - an' niver showed the worry
It's folk like that, I left ahin - fin I turned my back on Torry

An' now I spik anither tongue - that's really nae my ain
An' onyb'dy that's onyb'dy - is someb'dy that I ken
Ye widna think, tae look at me - I'd much tae mak' me sorry
But there's bits o' me that greet inside - for the things I left in Torry

----

Aiberdeen Olé

(Sung to the tune of 'Viva España'. The opening and closing verses are sung more slowly)

Da ging doon the Riviera - we've got a' ye wint, an' mair
A fortnight here is really rare - a' ye need's in Aiberdeen...

Come yer holidays tae Aiberdeen - ye winna regret it
'Cause onyb'dy that's iver been - says they'll never forget it
Since the ilemen started comin' in - they've bought half the toon
So, be sure yer purse is really full - 'cause they charges ye the moon!

Oh fin you come up tae Aiberdeen - ye must see the Coopie
It's the worstest sight ye've iver seen - a great monster shoppie
Oh, yer feart tae death fin you're inside - it's like Peterheid jail
But if ye spend enough at ivry till - they'll let ye oot on bail!

Pey a visit tae the Brig o' Don - ye'll really admire it
But, da pit yer sweemin' costume on - 'cause ye winna require it
Oh, the water's nae jist affa warm - an' it's filthy, as well
Keep yer hunky roon aboot yer nose - or ye'll niver stand the smell!

Dinna miss the beach at Aiberdeen - 'cause it's one in a million
We've a half a dizen ice cream caffs - an' a lovely Pavilion
We've some swings an' a little tennis court - and a big carnival
But, mak' sure ye've got yer jerseys on - 'cause it's aywis freezin' caul'!

I dinna wint tae pit ye'se aff a - fortnight on the Costa Brava
But come tae us, ye'll aywis have a - smashin' time in Aiberdeen!

(Spoken)   *We've got a harbour, a fish market, a jail, a university,*
Marks & Spencers, C&A's, British Home Stores...
...an' hunners an' hunners an' hunners o' roses!
Eat yer heart out, Monte Carlo!

Ida and the Sweepie

(Poem)

Ida Smith met Betty Clark - one mornin' on the bus
Says Ida Smith tae Betty Clark - *"Ye ken fit's happened tae us?*

The hoose is like a coal mine - ye ca' see nithin' for soot
M' throat's a' sair wi' coughin' - it finally drove m' oot

It's Bobby at's tae blame for 'is - jist wait till he gets hame
He's got a lot tae answer for - he'll wish he'd niver came!

It a' began last Friday - we wis sittin' haein' wir tea
Fin the chimney started bleezin' - well now, Betty, you ken me

I'm nae the kind that panics - but what a scare I got
I really thought wir time hid come - I jist wint a' tae pot!

I wis skirlin' at the top' m' heid - "The place is gan on fire!"
An' Bobby's shoutin' "Get a grip - it's nae a funeral pyre!

The flames is a' gan up the lum - it winna touch the hoose
For ony's sake, stop bawlin' - an' mak' yersel some use!"

So, we filled some joogs wi' water - an' we poored them o'er the grate
By the time we got the fire oot - we wis in an affa state

The fireside rug wis ruined - the muntlepiece wis black
A' wir claes wis soakin' - an', 'course, Bobby'd hurt his back!

I says, 'Well at's 'at settled - 'at chimney's gettin' deen
I winna get nae peace o' mind - until the Sweepie's been

Then Bobby pits his face on - "Oh, 'ere's nae nae need for 'at!
'On Sweepie costs a fortune - nae winner he's sae fat!

He must live life o' Riley - 'cause he charges ye the moon
We can easy dee withoot 'im - I'll get Jimmy tae come roon"

I says "Fit's Jimmy got tae dee wi'it? - He's jist a blimin' feel!"
"He's nae! He cleaned his lum, last wik - an' he did it really weel

I'll hae a wordie wi' him - an' I'm sure he'll dee't for free
So, dinna you dee nithin' - jist you leave it a' tae me"

Well, I wis wakken'd up 'is mornin' - and I nearly died o' shock...
Fin I heard 'is thund'rin' at the door - at the back o' eight o'clock

'Ere's Jimmy Wilson, stan'in' 'ere - "I've come tae dee yer lum"
So, I says "'At's fine then, Jimmy - it wis good o' ye tae come"

I says "Far's a' yer brushes?" - He says "I niver uses 'em...
Jist gie's a shot o'yer hoover - I'll be deen, afore ye ken"

I says "A shot' m' hoover? Fit wye ye needin' 'at?"
He says "It sooks the soot up, great" - Well, m' hert wint 'pitter-pat'

I says "Jimmy, dinna pull m' leg - ye'll mak' it filthy, through an' through"
He says "Dinna worry Ida - it washes up like new!"

So he fixes on m' upholstery brush - an' he sticks it up the lum...
An' he switches on m' hoover - well, ken 'is? I stood dumb!

Continues on next page...

29

Ye've niver seen nithin' like it - the stuff come poorin' oot
An' afore I ken fit's happened - I'm up tae m' knees in soot!

Then Jimmy shaks his heid an' says - "'Ere's something funny here...
Yer hoover's needin' lookin' - it's workin' affa queer

'At soot should be inside 'at bag - 'at's disapp'intin', 'at
I canna understand it - 'e motor's maybe flat"

I says "Jimmy, dee's a favour - remove yersel fae here...
'Cause if ye bide, I'll murder ye - hiv I made m'sel' quite clear?!

Well, I put the fear o' death in him - he wis oot the door 'at fast...
That I nearly didna get 'im, wi' the poker, as he passed!

But, dinna worry, Betty - I'll get vengeance, jist the same...
At six o' clock, tae be exact - 'at's fin Bobby's comin' hame!

The Aiberdeen Exile

(Poem)

It's a fine, bonny hoosie I bide in
It's a rare place tae see oot m' time
I've plinty o' folk that I'm close till
An' there's lives that are much waur than mine

So, fit wye dis m' mind keep on wakkin'...
Past Torry docks, doon tae the sea?
An' fit wye is m' hert kinda impty?
Oh, there's something far wrang aboot me

I keep wintin' tae spik tae m' Mither...
That's been deid 20 years now, or mair
An' I'd like fine tae news wi' m' faim'ly
But, I'm here - and they're a' across there

They're takin' a bussie tae Fittie
Or buyin' up fish on the Green
They're haein' a day oot at Bunc'ry
They're gan a' place that iver I've been

They're spikin' like Aiberdeen wifies
They dinna soond nithin' like me
But I'm still the same quinie that left them
There's nae much that's changed aboot me

I've mair tae m' name than I hid fin I wint
There's nae mony as weel aff as me
But tae tell ye the truth - I wid gie my last cent
Jist tae hae one mair look at the Dee

Continues on next page...

I suppose it's but right, I should feel like I feel
Because, inside wirsel's, a'body's the same
We get fit we come for - we like it, and yet...
There's bits o' us, aye huddin' for hame

The Last Bus Hame

(Sung to the tune of 'The Last Blues Song')

Oh, I ken yer bleezin', but I'm stood here freezin'...
...an' I'm needin' deen
If ye keep me waitin', then the bus'll be late...
...an' then there'll be a scene

Come on now, da get funny, go'n an' gie's yer money...
...an' we'll get moved aff
No, I'm nae yer Mammy, or yer Untie Annie...
...dinna mak' me laugh!

Hey, look now, 'ere's a bobby, comin' oot 'at lobby...
...I'll report yous, baith
He's six feet two an', if he catches you ...
...he'll hae ye scared tae death!

Now, look, it's twelve o' clock, an' 'is is past a joke...
...because I'm needin' fed
Since near 11.30 now , m' sister, Gertie's...
...hid m' tea a' made

Ye've got the driver nervous, an' the hale bus service...
...is disrupted now
I da suppose you're carin' but his wife's first bairn's...
...on its wye, right now

Now, jist you waatch your language, or I'll mak' a sandwich..
...oot o' you an' him
'Ere's really nae excuse, for giein' sic abuse...
...I'm gan tae turn yous in

Continues on next page...

Ye've jist yersel tae blame, I'm gan tae tak' yer name...
...an' fin ye next ging oot
Ye'll find 'at 'is is gan tae be...
...yer last bus hame

'Is is absolutely, definitely... YER LAST BUS HAME!

Rita of The Regal

(Poem)

I am the lady with the lump...
...I shine for yous tae see
One flick o' my torch for 50 pence...
...two flicks for 80p

Sophia Loren may be your yen...
...Elizabeth Taylor, your passion
But these stars of the screen, you will never be seein'...
...unless my light keeps flashin'!

I ken my place, I div not intrude...
...I keeps well in the shadow
But if somebody's feet is on a seat...
...I'm up like Jackie Pallo!

One shine of my torch means *I'm annoyed...*
...two shines, *Ye've hid yer warnin'*
Three from my torch, the manager comes...
...an' you're in court in the mornin'!

I've watched the stars for 40 years...
...in mystery, love and fable
But right fae the start, deep in my heart...
...I've cairriet my torch for Gable

Clark Gable was the man for me...
...ye can keep yer David Niven
The minute that Clark thumped Vivien Leigh...
...I wis jist in siventh hivven!

Continues on next page...

But to be fair, I should point oot...
...that 'though *I've* enjoyed his comp'ny
Fin it comes to romunce, he hidna a chunce...
...wi' the back row o' the balcony!

The things I've seen in the Regal staals...
...wid mak' yer hair grow whiter
I can safely say, on a Seterday...
...my torch shone ten times brighter!

But now my battery's growin' dim...
...I hiv come tae the end o' the aisle
I'm 60 years aul' in a fortnight's time...
...I must wave goodbye with a smile

I'll hiv tae mak' wye for a younger star...
...a quine wi' a steadier hand
Fa'll tak' up my torch, and lead the queue...
...doon intae Cinema Land!

My hert is brakkin' 'at I must go...
...but, as I says tae my sister, Nellie
'Ere's consolation in ivry move...
...remember, I've aye got 'e telly!

The Fallen Woman

(Poem)

Yer lookin' at a human wreck - a shell, that eence wis me
Jist a vestige o' the sweet young quine - that eence I used to be

I've come doon fae an affa height - an' if yer wind'rin why
Then gie's yer ear - an', wi' a tear - I'll tell ye, by and by

My father hid a trawler - he was Skipper o' the Year!
Earnin' thoosan's every fortnight - an' spen'in' it on beer

My Mither wis a Lady - she bade up at Hazlehead!
She hid a cleanin' wifie - and a cook, to keep us fed

We hid a'thing that we winted - I even kint a quine...
In her sixth year at St. Margaret's - an' we sometimes got on fine!

Then, an affa thing come o'er - I really da ken why...
But it's ruined me, forever - I'm so shamed 'at I could die!

I wis wakkin' in 'e Castgate - one mornin', late last June
Fin 'e Provost, in his Rolls Royce - went glidin' up 'e toon

I seen this sign o' human power - an' a shiver shook m' frame
I wis sweatin' wi' emotion - I just stood 'ere, overcame!

'Cause I realised, wi' a blindin' flash - that I'd get nae peace o' mind...
'Til they let me on 'e Cooncil - tae help tae save mankind!

My platform wis a winner - *"Bring back 'e past tae us...*
Knock doon 'e big skyscrapers! Lock up 'e one-man bus!"

Continues on next page...

Remove Italian restaurants! Re-open Mary's caff!
Is the new 'New Market' progress? Oh, dinna mak' me laugh!

Gie's back 'e Rubislaw quarry - we da wint North Sea ile!
An' at affa Coopie buildin' - mak's ab'dy's bleed jist bile!

Restore 'e simple things we've lost – the Beach Baths, an' the Tivoli...
Is pailins roon 'e harbour fit <u>we'll</u> leave tae poster'ty?!"

My message went aroon' 'e toon - the Gospel spread like fire!
'E people teen me tae their herts – they gied me my desire

I stood in the Holburn ward, last year – it wis jist a piece o' cake...
So, I teen my Cooncil seat in May – wi' the ithers on 'e make!

The rest is ancient hist'ry – I became a national figure!
I was asked tae stand for Parliament! - M' fame kept gettin' bigger!

An' then, I teen a tummel - m' success annoyed 'e fates
M' policies wis brought tae shame – I'd put a penny on the rates!

M' Da – he threw m' oot the hoose! M' Ma – she coudna look at me!
The folk a' booed m' in the streets – the Provost widna spik tae me!

An outcast now, I roam 'e toon – an' curse my former fame
'At day I seen 'e Provost's car – I wish tae God I'd bade at hame!

The Flittin'

(Poem)

Ida Smith met Betty Clark - one mornin', in the lobby
Says Ida Smith tae Betty Clark - *"I'm awa' tae get 'e bobby*

We've been shiftin' Muggie Johnson's stuff - fae King Street, up tae Mastrick
It's drivin' me near roon 'e bend - it's turnin' oot jist drastic!

Muggie's sittin' greetin' 'at her stuff's a' bashed tae bits
My man Bobby's slipped a disc - an' the hoose is like 'e Blitz!

I widna care - fit's she tae me? She's neither frein' nor neighbour
Oh, no, we jist got intae this tae dee Sally's man a favour!

He's left the North Sea ile rigs, now - he's bought himsel' a lorry
He's shiftin' folk a' o'er the place - tae Garthdee or tae Torry

He hisna got 'e first idea - he couldna move a sasser!
I'm tellin' ye, it's jist a farce - it couldna get much worser!

First of a', he's jist himsel' - he couldna get a mate
So, he says tae Bob "Wid ye help me oot?- I winna keep ye late"

An' Bobby, like an idiot, says - "Sure, I'll help ye oot"
So, he gets his tea, an' doon he goes - dressed in his Sunday suit

Well, first, afore they started - they went intae umpteen bars
By the time they got tae King Street - they wis already seein' stars!

Now Muggie's flat's right at the top - an' the stairs is jist this wide
Well, Betty, I jist teen one look - an' I says "Bobby, dinna bide...

Continues on next page...

You're gan tae get in trouble here - 'is job's too much for you"
But our hero, Bob, is too far gone - oh aye, he's fightin' fou!

So up he goes, wi' Sally's man - gettin' a' his muscles ready
An' they start tae heave the wardrobe doon - wi' Muggie shoutin' "Steady!"

They got it doon the stairs a' right - but they bashed a neighbour's door
An' there's a great big hole in 'e wardrobe roof - far there wisna een afore!

Next, they got doon Meg's settee - oh, Betty, what a mess!
They tore 'e seat on the lobby rail - an' it's now two castors, less!

Her fridge wis workin' perfect - till it fell right doon the stair
She hid a telly yesterday - but she hisna ony mair!

Bobby stubbed a cigarette - on her best reed astrakhan
An' I widna like tae tell ye fit they did wi' her kitchen pan!

They locked her cat inside a trunk - they stood on her doggy's pa'
They dropped her cage on the pavement - an' her budgie flew awa'

Then Muggie screams "Get 'e police - I canna stand nae mair!"
Bobby fa's doon in a heap, shoutin - "Oh! M' back's a' sair"

Sally's man says, "I'm fed up - get Pickford's for yer flittin'"
So, let 'e bobbies sort it oot! - I'm gan hame tae dee m' knittin!"

Mary's Party

(Sung to the tune of 'Greensleeves')

I've bin an 'oor in Mary's hoose
An' a' I've hid is some orange juice
I've asked for vodka - but fit's the use?
She's been bleezin' since early this mornin'

She phoned me up at the back o' eight
An' she said *"Come on an' we'll celebrate*
I've ordered whisky by the crate...
'Cause I'm 42 in the mornin'"

Now she's lyin' ben, in the living room
'Cause she canna stand withoot fa'in' doon
She's been in iv'ry pub in toon
She'll be sick afore the mornin'

The party started at eight o' clock
But now it's gotten past a joke
'Cause the hoose is full o' a hundred folk
That she only met 'is mornin'

'Ere's bus conductors an' traaler men
And a millionaire, fae Rubislaw Den
'Ere's a guy that reads the News at Ten...
That come up on the train, 'is mornin'

'Ere's a loon that drives an ice cream van
An' a quine that comes fae the Isle o' Man
It's a right disgrace, far he's got his han'...
She'll be black an' blue by the mornin'

Continues on next page...

'Ere's a wifie drinkin' a pint o' gin
And an usherette fae the Odeon
She's deen the strip, tae the accordion
She'll be freezin' caul', by the mornin'

Oh, far's m' coat - I'm needin' hame
I wish that I hid niver came
'Cause m' man's awa', wi' anither dame
Oh, I'll murder him in the mornin'

Oh, me an' Mary hiv aye got on
We've shared a laugh, and exchanged a moan
But as soon as I find a telephone
I'll hae bobbies on her, by the mornin'

(Sound of a telephone ringing tone, and the call being connected)

(Spoken)   *"Hello? Is 'at 'e Grumpian Police Headquarters?*
Good Mornin'. I would like tae report an orgy!"

Carlos

(Sung to the tune of 'Waiting at the Church')

Now, me an' Jimmy use tae ging oot duncin', iv'ry night
We wis aywis very happy - an' we niver hid a fight
Oh, him an' me wis fit ye'd ca' - a perfect combination
'Til I wint awa' tae Benidorm - for my annual vacation...

Now, suddenly - wir relationship's caput!
I met a loon ca'd Carlos - an' I let i'm tak' m' oot
I kint fit I'd been missin' - fin the pair o' us wis kissin'
An' now we are baith gan steady!

It's an affa shame - Jim hisna got a chunce
He'd better find anither quine, an' start a new romunce
'Cause I'm giein' up the bingo - tae perfect m' Spanish lingo
Jist tae... please Carlos!

I'm nae tae blame, if I've gone really feel
If Jim'd seen a senorita - then he'd hiv changed as weel
Like I says tae my pal, Bella - *"Once ye've tasted a paella...
Ye canna ging back tae stovies!"*

So, I've wint aheid - an' I've set wir weddin' date
I'll niver look at Jim again - 'cause now I've found m' fate
Oh, his feet's a' sair wi' bunions - but I like his Spanish onions
He's a rare loon... is Carlos!

(Spoken) *Oh, mi Carlos es el hombre más bello en todo el Mundo!
Ken fit I mean?*

Ida's Christmas

(Poem)

Ida Smith met Betty Clark, 'is mornin' on 'e bus
"Did ye hae a Merry Christmas? - Well, ye're better aff than us!

'Is festive season's murder, I'm nae gan through't again!
'E next time Christmas comes aroon - they can celebrate on their ain!

'On man o' mine wint oe'r the score - he says "Ken fit we'll dee?
We'll hae a Christmas party" - then he leaves the work tae me!

I cleaned the hoose fae end tae end - I put streamers roon the wa'
I polished a' the lobby stairs - an' the lobby fleer ana'!

I pit up new nylon curtains - an' I waashed the fireside rug
I borried thirty plates an' cups - an' m' Ma's best china jug

I hunted a' aroon 'e toon - tae get wir Christmas tree
Then we couldna get it through the door - I'd tae cut it up 'is wee!

I spent the best part o' a wik - cookin' night and noon
I'd enough mince pies an' sassage rolls tae feed a half the toon!

I'd a pot o' soup 'at biled for days - ye could smell it doon 'e street!
Wir butcher closed doon early - 'cause I'd cleaned him oot o' meat!

It cost me £6.50 - tae let them perm m' hair
I come oot like Shirley Temple - ye'd of thought I'd hid a scare!

On Christmas Eve I'm sittin' 'ere - deid tired, an' half asleep...
Waitin' for the merry throng - an' feelin' fit tae weep

At half past ten I'm still m'sel' - wi' the record player gan
I says tae m'sel "Far's a' the folk? - 'Ere's surely somthin' wrang"

At midnight, in comes Bobby - he says "Now dinna laugh...
Ye'll niver guess fit's happened? - I'm afraid 'e party's aff"

I jist aboot near hut 'e roof - I says "Hiv you gone feel?!
I'm up tae m' knees in tattie crisps - an' salted nuts as weel!"

He says "Now dinna get like 'at - it wis jist a slight mistake...
The kind o' aberration, 'at onyb'dy could make

I forgot tae post the invites - they're still in 'e chest o' dra'ers
An' naebd'y can come roon tae us - they're a' at Mrs Marr's"

So Betty, 'at's me finished - I've made it perfect clear...
I'm gan tae m' bed for Hogmanay - I couldna face New Year!

The Torry Quine Again

(Sung to the tune of 'I'm Gonna Be A Country Girl Again')

I've been bidin' doon in London - but I'm really needin' hame
I canna stand the place nae mair - an' I've jist m'sel' tae blame
I thought it wid be smashin' - now I da ken why I came!
So I'm gan tae be a Torry Quine again!

Oh, aye, I'm gan tae be a Torry Quine, once mair!
Wi' m' Ma an' Da, an' wir two wee rooms - wi' the lavvy on the stair
Ye can keep the Tower o' London - gie's Craiginches, ony day!
An' I'm gan tae be a Torry Quine again!

Oh, I spint some time in Glesca - but I found it's jist as bad
I worked in Sauchiehall Street - but it nearly drove me mad
M' feet wis aywis killin' m' - an' I couldna find a lad!
So I'm gan tae be a Torry Quine again!

Oh aye, I'm gan tae be a Torry Quine, once mair!
Wi' m' Ma an' Da, an' wir two wee rooms - wi' the lavvy on the stair
Oh, the River Clyde jist ca' compare - wi' a paddle in the Dee
So I'm gan tae be a Torry Quine again!

Oh, I teen the train tae Edinburgh - lookin' for some fun
I thought the folk must a' be feel - fin I heard the Castle gun
'Cause they shoot it aff, tae tell them that the time has jist gone 'one'!
So I'm gan tae be a Torry Quine again!

Oh, aye, I'm gan tae be a Torry Quine, once mair!
Wi' m' Ma an' Da, an' wir two wee rooms - wi' the lavvy on the stair
Oh the Royal Mile is nithing - once ye've seen Victoria Road
So I'm gan tae be a Torry Quine again!
Oh, aye, I'm gan tae be a Torry Quine again!!!

Ida Sans Telly

(Short story)

Me an' Bobby wis sittin' transfixed in front o' the telly, watchin' EastEnders, fin wir 19-inch suddenly grinded tae a dramatic halt. For a couple o' minutes, we sits there - contemplatin' life in the black - until Bobby finally says, "Is 'at it finished?" He meant EastEnders.

I says, "Oh, Bobby, dinna be feel. If you wis prepared tae concentrate on onything mair elevated than yer Carlsberg Special, ye wid realise that the Mitchells - plus a'body else on two legs in Albert Square - is still in the depths o' misery an' despair. I reckon it'll be at least 20 years afore there's ony possibility o' a happy endin', so it's certainly nae finished. Fit we're lookin' at right now is nae the endin' o' the credits but the endin' o' wir telly! Death wis, as they say, instantaneous and there wis nae suspicious circumstances - except maybe why ye iver bought it in the first place!"

"Oh," he says, "It canna be caput. We've only had it for a year. 'At wid be Highway Robbery if it wis needin' replaced."

"Well, if yer guarantee covered eternity, I wid agree wi' ye. But since Willie Ross only promised ye nine months', tops, I think ye've hud a good run for yer money. Efter a', it wis second hand when ye got it in the first place."

"Aye, but dinna forget - 'at telly wis rejuvenated by an expert. Willie Ross is jist magic wi' valves. Mind you, he's useless wi' the outside bits. I tell't him at the time that the woodwork wis affa scratchy."

"Scratchy? Dinna mak' me laugh! I wis black affronted when ye brought it hame. It's full o' holes that he's covered up wi' sellotape, an' 'en pinted o'er."

"Ida! Fair's, fair....fit can ye expect for a couple o' quid? An' ye must admit, 'at check tablecloth covers it up really bonny. Besides, gie it its due, it's worked really brilliant up till now. Niver mind, I'll get Willie roon the morn tae dee a homer on it."

I says, "Bobby, use yer heid. Fit's he gan tae dee till't – gie it the kiss o' life? Ye'll either hae tae cough up for a new een, or dee withoot."

"Dee withoot? Are you wise? Fit wye wid we occupy wirsels in the evenin's if we didna hae a telly?"

"Well," I says, "We could try spikin' tae een anither!"

"Spikin? Fit aboot?" he asks, suspiciously....

"Onything ye like. Ye used tae spik plenty afore. Naebody could get a word in edgewise fin I first kent you. I mind fin I teen you tae meet we m' Ma and Da. They nearly died! Fin ye left, M' Da says tae me, *For god's sake dinna bring 'a moothie guy hame here again. M' lugs is 'a sair listenin' tae him.*"

"Whit a bloody chik! 'At's a laugh comin' fae him - he wisna exactly a conversational genius, wis he? A' he could iver spik aboot wis his doos. If I heard the matin' habits o' the doo once, I heard it a million times!"

"Watch it! Jist dinna you start on my Da. He wis a fine mannie, wis my Da. He lived for them doos, an' at least it made a rare change fae you and yer National Service!"

"Oh?" he says, affa frosty. "An' fit aboot my National Service?"

"Well, ye wisna exactly Field Marshall Montgomery, wis ye? As a matter o' fact, I've niver listened tae nithin' sae borin' in my life, as the detailed account o' your military career!"

"'At's nae funny, Ida" – and, I swear tae God, his lip wis quiverin' - "Ye've touched a sair point there. Quite frankly, I think you should be showin' a bittie mair respect. Fin a man has risked his life for his country, he's entitled tae comment on it occasionally. It's only but natural."

"Fit are ye spikin' aboot? Ye spent the hale twa years in a cook hoose, pisenin' the troops! You wis lucky ye didna get a dishonourable discharge for manslaughter!"

"Oh, aye, it's comin' oot now isn't it? We're getting' nasty now, are we? Ten minutes athoot the telly, an' we're seein' you in yer true colours! It's gan tae be murder fae now on isn't it? Deprive you o' yer daily dose o' Phil Mitchell - and you'll be screamin' the place doon within twenty four 'oors!"

"Oh, is 'at a fact? Fit wye div ye nae pit yer money far yer mou' is, then? I dinna ken aboot you, but I can easy survive athoot the telly...

...I've got aboot a million better things tae dee wi' *my* time!"

"Right," he says, "Yer on. I bet ye a fiver ye canna last a wik athoot the telly!"

Well, of course, 'at jist made me really mad, and I wis determined tae prove him wrang!

I think I tried nearly a'thing tae occupy my time. I cleaned the hoose 'at much, that it wis shinin' like the insides o' an operatin' theatre. Ye could have eaten aff the linoleum. I must have killed iv'ry germ known tae man – an' a couplie mair that naebody's heard o' yet.

By the followin' Friday, I wis climbin' up the wa'. Fin I startit readin' the labels on the marmalade jar – jist for something tae dee – an' scrubbin' oot the rubbish bin for the umpteenth time that wik, I decided enough wis enough. There's only so much atmospheric silence an' intellectual vacuums that a body can bear. I finally cracked and wint tae the little tea caddy that I keeps under m' bed, an' teen a fiver oot o' my clubbie money tae pey m' bet wi' Bobby. I decided that total humiliation wis a lot better than gan roon the bend!

Howiver, I was saved at the last minute by wir loon, Jackie. He's been awa' in Benidorm for the last fornight wi' his pals an', as soon as he got back intae the hoose, he says, "Fit's awrang wi' this place? It's jist like a morgue in here. It's 'at quiet, m' ears is ringin'!"

"Oh, Jackie," I says, "The telly's broke!" - and I dinna mind tellin' ye, I wis near greetin' when I said it. Resilient as ever, Jackie marches o'er tae the telly, switches it on, gies it a terrific thump – an' up pops Anne Robinson. I nearly collapsed wi' relief.

Half an 'oor later, in comes Bobby. He tak's one look and says, "Oh, fandabbydozy! The telly's back!"

"Oh?" I says, a' casual like, withoot even turnin' roon, "So it is. I niver noticed..."

Unty Muggie's Lad

(Poem)

Unty Muggie's got a lad - she met him in Corfu
She disna ken fit job he's got - but he's affa well-to-do

M' Faither says he's roon the twist - *"'At laddie's aff his heid!"*
M' Grunny says *"He's useless - he canna even read!"*

M' Ma, she ca'd 'im a'thing - *"He's jist a waste o' space...*
He canna spik for sliverin' - an' it gings a' o'er his face!

His nose is aywis streamin' - an' his mou's a' sair wi' plooks
It's a myst'ry fit she sees in him - but it's surely nae his looks!"

Muggie says *"Well, 'is is it - I've found m' perfect mate!*
We're getting mairriet, Tuesday next - we dinna wint tae wait!"

Muggie's ring wis shown aroon - an' judgement duly passed...
"It's jist cheap dirt" says Grunny - *"'Is affair'll niver last!"*

Well, Muggie wint ballistic - *"Ye've aywis bin the same!*
Ye've rubbished iv'ry lad I've hid - if I'm single, you're tae blame!

The first een wis too big for me - the next een wis too sma'
The third een worked in Woolie's - an' ye didna like his Ma!

The fourth een hid a hairy chest - the fifth een came fae Buckie
The sixth een wis an only child - an' ye said 'at wisna lucky!

Well, I've hid it up tae here wi' you - I da care fit ye say...
I'm hingin' on tae Costas - and we've named wir weddin' day!"

Uncle Tam says *"Oh my God! - Wir Muggie's gan deminted!*
He spiks a foreign language - and I'm sure his hair is tinted!"

Grunny says *"Oh, dearie me - 'is is gone beyond a joke...*
It looks as though she's serious - I wish I hidna spoke!

G'wa' an pit the kettle on - I'm needin' time tae think
We'll hae tae pit a stop tae this - it'll drive her Da tae drink!"

Now, Grunny's pretty fly at times - her heid's screwed on a'right!
She phoned the guy fae Woolies - an' she asked him roon 'at night

"Come in, come in, an' sit ye doon - it's a lang, lang time no see!
I've missed wir little newsies - wid ye like a cup o' tea?

Wir Muggie's fairly missed ye - although, she'll nae let on
Ye really teen her funcy! - Could ye go a soor milk scone?

Oh, aye, she hisna been the same - since you an' her ca'd quits
But she's got yer foties in her room - Div ye like the crispy bits?

I've watched 'at lassie pynin' - her hert's been affa sair
I think it's time you made it up - ye mak' a lovely pair!

And how's yer charmin' Mither? - Still troubled wi' her back?
His she tried some embrocation? - It helped my nephew, Jack

Tell 'er I wis speirin' - I hinna seen her for a while
If she's passin', she can chap me up - tea's aywis on the bile!

Continues on next page...

Now, you come back on Winsday - 'at's the night that Muggie's roon
Dinna let on I tell't ye - but she'll jist be o'er the moon!"

So, 'at's why Muggie changed her mind - an' Costas got the sack
Muggie did a turnaroon' - an' teen her aul' lad back!

The weddin's in December - m' Grunny's tickled, pink!
"'Ere's jist one drawback" says Muggie - an' she gies a little wink...

"His Mither's aywis at my door - an' she's niver aff the phone
I wish, tae God, she'd tak' a hint - an' jist leave me alone!"

Still, I suppose it's worth it - tae get Muggie settled doon
Especially wi' a bridegroom that's a strappin' local loon!

Mind you, I quite liked Costas - he'd an affa pleasant laugh
I wis jist amazed fan Muggie said the relationship wis aff!

Of course, it's really for the best - I'd hiv jist gone aff m' heid...
If I'd hid tae ging tae Muggie's - an' sit doon tae pitta breid!

No, no, she's better aff at hame - it's mair natural, ye see?
We'll get oatcakes, baps an' rowies fin we ging roon for wir tea!

Lord Kirkhill

(Sung (very loosely!) to the tune of 'London Pride')

Lord Kirkhill is the Lord o' Torry
Da tell me that we're nae genteel
They looked aroon an' says "Fa's worth knightin'?
So they came tae Torry - oh they wisna feel

The Heid's o' State used tae come fae Eton
But that condition disna apply nae mair
Lord John's Grunny used tae bide in Seaton
An' John wis born somewye roon aboot there

John, John - I've hid m' fotie tooken -
I'm sendin' it tae you, 'cause yer so good lookin'

Lord Kirkhill, oh, he beats Mick Jagger...
...Tommy Steele an' Georgie Best
Gie me John, wi' his charm an' polish
He'll dee me - ye can keep the rest

Since John wint doon tae the House o' Lords...
Aiberdeen hisna been the same
The men that's left's hardly worth the takin'...
So I da' ging duncin' - I jist bide at hame

John, John, I used tae see ye wakkin'
Now that you've left Union Street m' hert's jist brakkin'

But Lord Kirkhill is the Lord o' Torry...
While I pack kippers an' fillet cod
'Ere's jist nae chunce that I'll iver click wi' him...
Lords an' quines wak a different road

(Spoken)   *Niver mind ... 'ere's aywis Joey Harper!*

Ida And Sally

(Short Story)

I ken it's the end o' March, but last wik I nearly put oor Christmas tree back up. A great pile o' sna' in the backie had me convinced we wis still in the deid o' winter. I wis that caul', I spent maist o' my time either blaa'in m' nose or pokin' the fire!

Nae that it did me much good. The stuff that the coal mannie's bringin' me nowadays is jist a disgrace. It's 'at smushy, it tak's me aboot an 'oor tae light in the mornin's, an' ye've practically tae sit up the lum afore ye feel ony heat! M' pal, Sally, come roon tae see me - an' niver teen aff her fur coat a' the time she wis here. She said she wis feart she'd get chilblains!

'At's the thing aboot Sally, she can be a right chiky besom fin she feels like it. She says, "Oh, Ida, 'is is murder, 'is. The place is like an ice cream factr'y. Fit wye div ye nae get in central heatin'?" Like me and Bobby wis made o' money!

'At's the ither thing aboot Sally - she's nae wise. She's a total ignoramus fin it comes tae the financial facts o' life. She thinks a'body's as loaded as she is. Of course, 'ats fit comes o' bein' married tae 'Money Bags' Erroll, him 'at works on an ile rig. Sally's like me - she comes fae nithing – but, iver since she got a huds o' Erroll, she thinks that iv'ry time the tide comes in fae the North Sea it deposits ten pound notes on the Beach Boulevard! Howiver, I jist ignored her an' made her a cup o' tea tae stave aff her hypothermia.

"Well," she says, warmin' her hands at the cup, "I dinna ken how ye can stand it. Look at me – m' hans is nearly blue wi' the caul', and I've only been here 5 minutes. They'll be cartin' the baith o' you aff tae wi' pneumonia if ye dinna watch oot! I tell ye fit ye can dee tae get yersel heated up – me and Erroll's gan awa' tae Majorca for Easter, so you an' Bobby can come and bide in oor hoose an' look efter the kids for us fin we're awa.'" My, but it's wonderful how Sally aywis manages tae mak' it sound as though she's deein' ye a favour - nae chargin' ye for babysittin'!

Bobby, of course, sulked for 'oors fin I tell't him the news. "Oh, 'at's jist smashin', 'at! I've got a darts match arranged for Seterday night. It's gan take tak' me ages tae trail 'a the wye o'er fae Rubislaw Den tae Torry. 'An fin I div get there, I'll hardly hae ony time left for a drink!"

"Oh!" I says, "Dinna mak' me feart! Dee ye mean ye might actually come hame sober for the first night in 25 years? Hud the front page o' 'The Press and Journal'!" Bobby finally gave in fin Sally said she wid get her chauffeur tae tak' him tae Torry in time for him tae get a good bucket. Bobby aywis manages tae get his priorities right!

Friday night seen us safely installed in Sally's hoose, wi' her six kids and Honey, her Afghan hound. Sally hid, naturally, forgotten tae tell us that wir babysitting services included ministering tae a canine, an' Bobby nearly hid a heart attack fin he seen it. He's nae exactly Doctor Doolittle, is Bobby. He gets feart if a little Scottie barks at him, let alone a great big monster o' a hound that teen an immediate funcy tae him - and bounded up tae him fer a chew at his leg. I'd tae fill three pots o' tea afore his pulse rate returned tae normal!

In atween times, I'm rinnin' aboot like a feel, tryiin' tae get a' the kids thegither in one room so's I could ask them fit they were needin' for their tea. The little een winted a bag o' crisps and an ice lolly, an' the rest o' them winted chicken curry. I says tae them, "Get real! Fa d'you think I am, Delia Smith? I dinna ken how tae mak' chicken curry - it tak's me a' my time tae rustle up some mince an' tatties!"

The mere thought o' a curry left Bobby horrified: "Oh, gads! I'm nae bidin' here if we've tae eat stuff like 'at. 'At's enough tae gie ye the jandies! Can someb'dy nae ging doon the road fer some chips?"

"Bobby," I says, "Fit planet are you operatin' on? For the next ten days ye'll jist hiv tae get used tae the fact that ye're temporarily bidin' in a deprived area - The Ashvale's niver got roon tae openin' up a chipper in Rubislaw Den!

In the end I made a great pile o' stovies, which a'body left on their plates as if it wis poison! The only een that appreciated my culinary efforts wis Honey, the dog, 'cause he finally scoffed 'e lot. It wis jist a pity that he wis so nae weel the next day that we had tae tak' him tae the Vet. Castor ile wis the only thing that saved him fae bein' pit doon!

The rest o' the evenin' wis like 'e Battle o' Bannockburn. Twa o' the kids commandeered the telly 'til they finally got tae their beds aboot one o'clock in the mornin'. At the same time, in anither corner o' the room, the record player wis goin' full blast an' two o' the quines wis oot in the lobby trying tae knock een anither unconscious wi' karate kicks. The little een kept greetin' for his Ma, an' Bobby spent the hale night tryin' tae get the dog tae stop lickin' his face!

On top o' a' that, the hoose wis like an oven an' by ten o'clock I wis sweatin' that much that m' claes wis soakin' weet. I wis jist beginnin' tae think I'd be grey-heided by the end 'o the siven days - fin in walks Sally and Erroll, lookin' tragic. It turns oot that the mannies at the airport wis on strike, an' they couldna get tae Majorca efter a'! Well, it's an ill wind that disna blow naebody ony good, an' I wis really chuffed when me and Bobby wis declared redundant, and sent hame.

Fin we got tae oor hoose, it wis like walkin' intae an igloo. It wis rare tae be back hame!

The Sulky Dame

(Poem)

Sulky? Aye, she's sulky - she's an affa sulky dame
Her mou's like nippy sweeties - and her sister's jist the same!

Ye couldna stand tae bide wi' her - ye'd be tearin' oot yer hair!
She kens that naeb'dy likes her - but she says she disna care!

She's jist a little madam - she needs a hot backside!
But her Ma could niver handle her - an' her Da lets a'thing slide

They've brought it on themsel's that pair - it's jist themsel's tae blame
She rules 'at hoose like Hitler - 'at could be her middle name!

I canna stand the sight o' her - an' I jist aboot went spare...
When Jackie said he'd got a click - an' it turned oot tae be her!

"Is'at nae affa?" Bobby says - *"He could click wi' ony quine...
An' Jackie has tae get in tow wi' the Bride o' Frankenstein!"*

"'At's nae fair" says Jackie - *"She's got an affa bonny face...
She's got a bonny tongue as weel - she'll pit ye in yer place!"*

*"Well, ye've got yersel' a handful, there - so dinna come tae me...
Fin she starts tae turn the screws on ye - and ye're wond'rin' fit tae dee!"*

So Jack wint oot a' huffy - in his best blue denim suit
An' he wint straight roon tae 'Misery Guts' - and asked her tae come oot

He took her for a slap up meal - wi' bottles o' champagne...
'En he gets himsel' a taxi - an' he asks tae see her hame

Continues on next page...

They got pit doon ootside her hoose - and they're stan'in' at the gate
When she says *"Afore we ging inside - we'll jist get one thing straight...*

*I'm prepared tae let ye tak' me oot - and we'll chum aboot a while
But we're deein' nithin' physical - till ye tak' me doon the aisle!"*

Wir Jackie nearly had a fit! - He's only siventeen...
An' the thought o' gettin' mairriet turned his face a shade o' green!

He come runnin' back tae Menzies Road - an' wint tearin' up the stair...
Then locked himsel' inside his room - an' he's niver budged fae there!

Well, Sulky come aroon next day - an' asked tae spik tae Jack
But Bobby says *"He's scarpered - an' he's niver comin' back!*

*He's got a wife in Rothsay - and anither een in Luton
I'm affa sorry, lassie - but ye're better aff withoot him!"*

She put on a face like thunder - an' she gave oot sic a skirl...
That it scared wir little budgie - an' made the dog's heid birl!

We were gled tae see 'e back o' her - but it's sealed oor Jackie's fate...
We're takin' nae mair chunces - he's bidin' celibate!!!

Rabbie Burns An' A' That

(Short story)

Moira come roon last night. She's Jackie's latest. Ye ken Jackie – m' one and only offspring? Well, it nearly pit me aff my fish and chips watchin' her pick at a'thing wi' her purple nails. Howiver, I'll say 'is for her – she fair keeps the conversation goin'.

"Ye set a rare table, Mrs Smith, affa genteel. But of course I really shouldna be here - m' Ma's haein' a Burns Supper."

Well, 'at made Bobby prick up his ears – my man's affa keen on a bittie o' culture, as lang as it disna involve him showin' ony. "A Burns Supper? Far aboot?" he asks, obviously imaginin' that they'd hired the Duthie Park restaurant for the occasion.

"Oh, jist in the hoose," says Moira, "Ma's made it really bonny. She couldna get a fotie o' Burns, so she's got Mel Gibson in 'Braveheart' sittin' up o'er the muntlepiece, wi' a the vases filled wi' plastic heather. She's made a tartan tablecloth, an' she's got a Marks and Spencer's cake that says 'Happy Birthday, Sunshine' ,wi' a set o' miniature bagpipes next tae a thistle. It's really brilliant. It mak's ye proud tae be an Aiberdonian. It's gan tae be a rare night - m' Da's invited 20 guys aff his ile rig, an' fin they come in the door they're a' gettin' paper Tam o' Shanter's tae pit on their heids!"

"At sounds great," I says, lyin' through m' teeth, "An' I suppose she's got her huggis fae Asda?"

"Gads, no! M' ma's made piles o' special Burns pizzas wi' mince and skirly toppings!" Moira beamed roon 'e table, as if her Mither wis the culinary adviser tae Delia Smith.

I nearly choked on my mealie puddin' but I recovered m'sel' before I had a chunce tae couk, an' I says, sarcastic like, "Well, 'at sounds like a first. Fa's she got tae address the pizza?" - thinkin' that wid really pit a pipe in her mou!

"Oh," she says - deid serious, like she wis discussin' casting for EastEnders - "She tried tae get Jimmy Spunkie but he wis already booked, so m' Da's deein' it." Well, ye could've heard a chip fry.

There wis deid silence for aboot thirty seconds, an' I really tried tae keep my mou' shut, but I kint I'd niver get peace tae enjoy my fish and puddin' supper so I finally says, "Fit's he gan tae say?" I shoudna hiv asked, 'cause that pit her in full flow.

"Well, it's really smashin', Mrs Smith, he wis up a' night writing it. Jist listen tae this...

Oh, pizza wi' the bonny face
Ye mind me o' my Untie Grace
So now wi' gie ye pride o' place
In mem'ry o' wir Bard

He wid've thought it really rare
If he had tasted you in Ayr
But there wisna nae deliveries there
Because the times wis hard

But now, because of North Sea oil,
For which my pals and me div toil
Right here upon oor native soil
We welcome you, the day

So let us a' dig in and eat
Yer flavour wid be hard tae beat
We'll gie wir Rab a birthday treat
The real Italian way!

Dis that nae jist bring a lump tae yer throat?" trilled Moira. Well, right enough, 'ere wis a lump in m' gullet, but it turned oot tae be a bit o' undigested batter. Otherwise, Moira's rendition left me totally unmoved.

Bobby, of course, is a hale different kettle o' fish. He wis absolutely mesmerised, "I think 'at's jist fabby! Yer ma's got some great ideas."

"Aye, m' Ma's really rare. Ken far's she's takin' us for wir holidays? She's booked Africa for a fortnight. She says we'll get mair sun there than in Benidorm!"

Well, I thought tae m'sel', Africa must be really chuffed. But Bobby's nae as cynical as me - he wis suitably impressed, "Is 'at a fact? 'At's fantastic 'at - I really admire 'at. Of course, tae be honest, it widna dee for me. I'd be nae use among 'a them lions - I canna even stand next door's cat. An' div ony o' them spik English. I mean, is it possible tae hae a newsie wi' a Zulu?"

I nearly pointed oot that he'd be in good company, 'cause he disna spik English either. Howiver, in 30 years wi' Bobby, I've learned one really valuable lesson - keep yer mou shut. "No," he continues, lickin' the tomato sauce aff his knife, "I'm plannin' somethin' mair traditional. I'm gan tae Stonehaven. They've got some smashin' pubs there, an' ye meet some really classy folk at the open-air sweemin' pool. I eence seen Alex Ferguson deein a somersault aff the divin' board. It wis magic, jist magic."

Well, I near wint apoplectic. "Fit div ye mean we're gan tae Stonehaven for wir holidays? 'Is is the first I've heard aboot it!"

"Oh," he says, a' innocent like, "Did I nae tell ye? A guy at m' work's got a caravan in the park 'ere, an' he says we can get it cheap for a fortnight."

"I dinna even care if he's peyin' ye tae babysit it! If you think 'at I'm gan tae spend my annual break fryin' chips for you and yer pals, 16 miles fae my ain doorstep, ye've got anither think comin'!" Bobby's lower lip dropped two inches, an' he pit on a look like a wounded calfie.

"Ida, I canna keep up wi' you. Last year ye kept moanin' that I niver took ye nae place."

"Aye, 'at's right. But fin I wis doon in the backie, takin' in my washin' in the bucketin' rain an' dreamin' aboot sunnier climes, I wisna exactly contemplatin' a fortnight on the rocks at Stonehaven!" Well, of course, 'at started a bosker o' a row. Jackie and Moira vanished, presumably tae gatecrash the pizza picnic, while Bobby wint oot in a huff an' I ended up watchin' Coronation Street.

Bobby come in twa 'oors later, flushed wi' beer and salted peanuts, an' ready tae mak' up. "I tell ye fit," he says, wi' his airms outstretched in a grand conciliatory gesture, "Fit aboot a bed and breakfast in Buckie?" I tell't him tae get lost, or words tae that effect, and phoned m' Grunny in Mastrick. I'm gan tae spend m' twa wiks wi' her. Nae pizza, nae caravan, nae claes tae waash – jist stovies, an' Corrie on 'e telly. Now, 'at's fit I ca' a holiday!

Aul' Jessie

(Poem)

Aul' Jessie passed awa' last night - she wis 89, ye ken?
She hid a real good innin's - but we'll miss her, jist the same

Her an' me wis pals at school - we started work thegither
We gutted herrins, side by side - in iv'ry kind o' wither

We made up foursomes, wi' wir lads - she wis Best Maid fin I mairriet
I min' she wore a lilac frock - an' wis it violets that she cairriet?

She helpit me wi' a' my bairns - an' the night my loon teen ill
It wis her that seen me through it - aye, I'm thankful 'til her, still

She wisna much for spikin' - 'though she'd pass the time o' day
But, *"Aye, aye"* an' *"Foo ye deein'?"* - wis a lot for her tae say

Her mairraige didna work oot right - he teen an affa drink
An' she must hiv felt it sair, inside - fin she stopped hersel' tae think

But she niver let it get her doon - she'd jist gie hersel' a shak'...
"Well, I've made m' bed, I'll lie on it - even though it hurts m' back!"

She hid an affa timper - oh, me, I mind the time...
Fin she found her next door neighbour - hid pinched her waashin' line!

I wis stan'in' in the butchers - a half mile doon the street...
Fin I heard 'is affa bawlin' - well, I thought that someb'dy'd deit!

I rushed oot tae the pavement - there wis Jessie, in a rage
She ca'ed 'is wifie a'thing! - Oh, whit a war she waged!

Continues on next page...

Well the wifie started greetin' - she run inside 'e door...
An' turned her key inside the lock - an' jist left Jess, tae roar

Well, the place wis pandemonium! - We couldna get nae peace...
Until someb'dy took a bucket - an' threw watter in her face!

She seen the funny side, come time - she niver held a grudge
"Oh, pit yer waashin' oot..." she says - *"Ye're nithin' bit a drudge!"*

"But mind that Monday's aye my turn - so da start something new
An' see the line's kept free next wik - or I'll get the bobbies on tae you!"

Aye, Jessie wis a character - there wisna two like her
The place'll seem real quiet - now that Jessie isna there

Oh, aye, I'll miss wir newsies - things'll niver be the same
But I ken she'll keep a placie for me - in her grand new hame!

Ida and Bobby

(Short Story)

This past few days hiv bin like 'Mrs Dale's Diary'. Min' how she used tae start her wikly drama by sayin', "I'm worried about Jim"? I used tae think she wisna wise. I'd say tae m'sel, "Well she's little tae dee wi' her time if a' she's got tae worry aboot is her man!" But it's amazin' foo circumstances can change yer mind. Like my Untie Ina used tae say, "Ye should niver get too elated aboot nithin', 'cause ye can bet yer bottom dollar that fit someb'dy else is greetin' aboot the day, you'll be greetin' aboot the morn."

Of course, Ina wis an expert on misery. We used tae ca' her *Ina the Whiner*. Ye niver saw a smile on her face fae one year's end tae the next. Howiver, I'm beginnin' tae think she had the right idea aboot this mortal coil, 'cause I'm getting' jist as feel as Mrs Dale. I'm a' worried aboot Bobby - he's got me driven nearly roon the bend!

It a' started fin I woke up last Sunday tae find him doon on his han's and knees deein' press-ups on the linoleum. Well, I wis black affronted 'cause I wis feart the wifie doon 'e stairs might think we wis getting' up tae something funny! I says, "In the name o' God, Bobby, fit on earth are ye deein'?" The sweat wis drippin' doon intae his lugs, an' he could hardly spik fer gruntin'.

"Dinna annoy me, Ida, 'cause I hinna got time tae argue wi' ye - I'm makin m'sel healthy, okay?"

"Well, ye could've fooled me - yer face is that reed ye look like a candidate for an emergency operation!"

"Very funny - I'll mind you said 'at fin I'm getting' ye settled in at the cemet'ry!"

I says, "Look, I ken I'm still half asleep, but could ye maybe tell me fit me gettin' beeried has tae dee wi' you heavin' up and doon on the fleer?"

Well, I kint I hid stumbled across a dangerous situation fin I had tae wait five minutes for him tae dee ten mair jerks afore I got an answer.

Finally, he collapses on the fleer an' says, atween gasps for air, "I wis doon at the pub last night, sittin' haein' a quiet newsie wi' Jimmy Clark, fin his face wint a' funny an' he jist conked oot."

"Unconscious?"

"No. Deid!"

"Jist like 'at?"

"Aye, jist like 'at. He niver even hid a chunce tae finish his pint! I'm tellin' ye, Ida, it shook me rigid. Jist five minutes afore he wis teen, he wis lookin' the picture o' health! I mean, okay, his face wis a bit plooky, but he's aywis been kind o' scabby. Apart fae that, he wis fine, an' 'at's teached me a lesson, 'at, 'cause fin I think aboot it, he'd only himself tae blame. He led a terrible life - did a'thing wrang. He smoked like a chimney, he drunk like a fish, he wis an affa man for the weemin, an' the only exercise he iver took wis his daily hunner yard walk fae his hoose tae the Bookie's. Fit a waste! Well, they're nae getting' me that easy - The Grim Reaper can pit me doon for a later date. I'm getting' m'sel in shape afore it's too late."

Well, I dinna mind tellin' ye, I wis aghast! 'Bobby the Blob' is jist aboot tholeable – 'Bobby the Medallion Man' disna bear thinkin' aboot! I says, "Are you fer real? There's naeb'dy sorrier 'an me that Jimmy's awa', because he wis a fine enough mannie. But, let's face it Bobby, he wisna exactly struck doon in the first flush o' youth. He wis 85!"

"See, 'at's exactly your problem, Ida," he says, getting' up tae tae dee some lumber stretches, "Ye niver see further than yer nose. Ye're a prime example o' a short-termist. Me, I tak' the langer view. The point is 'is - if Jimmy had looked efter himsel', he could've lived tae be a hunner! He could've had a telegram fae the Queen, a vist fae the Lady Provost, an' his fotie in 'The Evenin' Express'. He might've even got an MBE for sheer perseverance – but he's thrown the hale lot awa' through pure neglect. Well I'm nae lettin' it happen tae me. I'm gan tae tak' care o' m'sel if it kills me!"

Well, if ye canna beat 'em, join 'em. Fit else could I dee? So, for the next siven days, I humoured him tae the point o' exhaustion. Iv'ry mornin' we jogged tae the Bay o' Nigg, an' on Winsday we borried twa bikes an' set aff fer Stonehaven. At the Brig o' Dee we collapsed, an' a fish lorry teen pity on us an' drove us back tae Torry.

We lived on veggies, yoghurt, and bottles o' vitamins. At night we went tae wir beds at 9 o'clock an' tossed an' turned until sunrise, fin we got up and did deep breathin' in the backie.

I reckon we wid niver have lived tae tell this tale if it hidna been for Bobby's Ma. She come roon yesterday efterneen, tae ask us if we wid look efter her budgie while she wint up tae Inverness tae see her sister. She teen one look at Bobby, an' asked me if I'd sent for the doctor! I could see her point. He looked thin and peely wally, an' his joints wis that stiff he could hardly walk. Bobby wis furious, "'Ere's nithin' wrang wi' me! I'm deein' a lot o' exercise tae get in shape."

"Fit for?" she asks.

"So's I can live langer."

"Dinna be feel! Yer Granda lived tae be 106, an' he niver lifted a finger the hale o' his life. We pit his longevity doon tae the fact 'at he teen a good bucket iv'ry chunce he could get!" Whereupon Bobby chucked in his fitness regime and, at 6 O'clock sharp, retired tae the pub tae resume his life of dissipation.

I think we can safely expect him tae be aroon for a whilie yet!

Unty Jean's Frock

(Poem)

Ida Smith met Betty Clark, at the top o' Market Street
Says Ida Smith *"Could ye go a fly? - I'm jist ca'd aff m' feet!*

I've been rakin' a' roon Markies - fer a frock fer Unty Jean
The een she's got is ten year aul' - an' it's jist aboot near deen!

The hem's a' doon, the colour's run - 'ere's a hole across 'e chest
Iv'ry time she tak's a breath - ye can see her khaki vest!

Her shoes are jist aboot as bad - they're lettin' in the weet
They've got string, instead o' laces - an' they're o'er big fer 'er feet!

She's got a pair o' stockin's - that she bought afore the War
She darns them iv'ry fortnight - now, is that nae gan too far?

Her hair? Ye widna credit it - it's doon aboot her knees
She ties it up wi' bits o' wool! - An' I'm sure its full o' fleas!

Her hoose is like a midden - ye've niver seen the like
Ye canna get inside 'e door - fer this roosty, three-wheeled bike!

Her kitchen cupboard's full o' stuff she bought wi' ration books
'Ere's tins o' Spam piled six feet high! An', of course, she niver cooks!

She lives on tattie crisps an' beans - an' bits o' jammy breid
She's hid nithin' else since D-Day! - It's a winner she's nae deid!

I blame it on the War, m'sel - she's niver been the same...
They bombed her hoose in Menzies Road - an' killed her budgie, 'Mame'

An' of course, she got stood up an'a - she got an affa shock
Her lad ran aff wi' a reid-haired WAAF - that he met on Plymouth Rock

She jist went a' demented - she did nithin' else but greet
Her Ma hid a' her claes tae dry - they were aywis soakin' weet!

So 'at's fits wrang wi' Unty Jean - she's the victim o' romance
Her hert got smashed tae smithereens - she niver had a chance!

They pit her on some tablets - but they didna seem tae work
She's been seen by umpteen doctors - but she's left them in the dark

So, we a' jist dee the best we can - an' try tae keep her right
But she's drivin' me aroon the twist - she wanders oot at night!

She's up and doon Victoria Road - lookin' fer her lad
The Bobbies hiv tae tak' her hame - an' they're gettin' really mad!

We thought she'd hae tae ging awa' - we'd a nursin' hame a' picked
Then she met 'is guy in Woolies - an' it looks as though they've clicked!

They're gettin' mairriet in July - they've got themsel's a flat
She's asked me tae be bridesmaid - and I've hid tae buy a hat!

Of course, it's bound tae end in tears - he must be really feel
She niver lifts a duster - an' she canna cook a meal

He disna ken fit like she is - it's got me worried sick
Bobby's bet a fiver that it winna last a wik!

Continues on next page...

But there ye are - fit can ye dee? She's a problem we've tae thole
An' ye canna help but like her - she's jist a dear aul' soul

So, come on an' hae a cup o' tea - an' then we'll look inside
Fer a flow'ry frock fer Unty Jean - fit fer a blushing bride!"

The Torry Quine Glossary

Doric is a dialect spoken by many people in the north east of Scotland. There are no strict rules about its usage or spelling, which varies across the area. This glossary - intended for those unfamiliar with the dialect - lists the meaning of Doric words and phrases as used by The Torry Quine, with many words spelled phonetically to aid pronunciation. It also lists some of the names of people and places featured in the book.

a' – all
ab'dy/a'body – everybody
aboot – about
a'cause – all because
adee – to do
aff - off
affa – awfully or very
affronted – embarrassed
afore – before
aheid – ahead
ahin – behind
Aiberdeen – Aberdeen
ain - own
ains – owns
airms – arms
Alex Ferguson – football manager
an' – and
an'a – aswell
aneeth – beneath
aroon – around
are-na – aren't
'at – that
a'thing – everything
atween – between
aul' – old
ava – at all
awrang – wrong
awa' – away
aye – yes
aywis – always
backie – back garden/yard
bade – lived or stayed

Baillie – Magistrate
bairns – children
baith – both
baps – buns
bawlin' - shouting
bawls – shouts
beeried - buried
bein' – being
ben – next door
besom – impudent woman
bide – stay
bin – been
bile – boil
birl – spin
bitty – little bit
blaa'in – blowing
black affronted - very embarrassed
bleed – blood
blimin' – blooming
bleezin' - blazing or drunk
bobby (bobbies) – police officer(s)
bonny – lovely/pretty
Bookie – Bookmaker
borry – borrow
borried – borrowed
bosker – corker
brakkin' – breaking
breid – bread
bugs – bags
Bunc'ry – Banchory
bussie - bus
ca' – can't or call

71

ca'd - called

ca'd aff m' feet - exhausted

ca'd deen – done in

caff - cafe

calfie – calf

canna – can't

caput – broken down

carriet – carried

caul' – cold

chap me up – call on me

chauved right sair – worked really hard

chik – cheek

chiky - cheeky

chuffed - delighted

chunce – chance

claes – clothes

cleck – news

click – date or boyfriend/girlfriend

Cooncil – Council

Coopie – Co-operative

Coopie Divie – Co-operative Dividend

coorse – rough

couk – to heave, as if about to be sick

could ye go – would you like?

couldna – couldn't

Craiginches – Aberdeen jail

cried – announced

Da – Dad

da – don't

darena – daren't

dee – do

deein – doing

deen – done

dee't – do it

deev – argue

deevin' – pestering

deid – dead

deit – died

deminted – demented

dinna – do not

doon – down

di' – don't

dis – does

div – do

dizen – dozen

doo – pigeon

drinkie – drink

dunce - dance

duncin' – dancing

'e - the

'en – then

een – 'one' or 'eyes'

eence – once

efter – after

elbas – elbows

'ere – there

fa - who

fae – from

faim'ly – family

fa'in' – falling

Faither – Father

far – where

feart – scared

feel –foolish or idiotic

fer – for

fermer -farmer

fin – when

finiver - whenever

fit - what

Fittie – Foot Dee

fleer – floor

fly – quick cup of tea or cunning

foo – how

Foresterhill - site of main hospital

fotie – photo

fou – drunk

frein' – friend

funcie – fancy

gan – going

gie – give

gied – gave

gie's – give me/us

giein' – giving

gien's – given me/us

gies - gives

ging - go

gings - goes

gled – glad

Glesca – Glasgow

Granda – Grandfather

greet – cry

Grumpian – Grampian (Region and TV station)

Grunny – Grandmother

guttin –gutting

g'wa' – go away

hae – have

haein' – having

hairm – harm

hale – whole

hame – home

han(s) – hand(s)

haulin' – hauling

heid – head

heided – headed

Heidie – Head Teacher

helpit – helped

herrins – herring

hert – heart

hid – had

hidna – hadn't

his – has

hingin' – hanging

hinna – haven't

hiv - have

hivven - heaven

hivy – heavy

hoose - house

hud(s) – hold

hudin' – holding

huddin' – heading

huggis – haggis

hun'l – handle

hunner – hundred

hut – hit

ile – oil

ilemen – oilmen

'im – him

impty – empty

intae – into

'is – this

isna – isn't

ither –other

iver – ever

iv'ry – every

jandies – jaundice (feeling sick)

Jackie Pallo – star of TV wrestling

Jannie – Janitor

Jimmy Spunkie – Jimmy Spankie, broadcaster

jist - just

joogs – jugs

ken – know

quinie – daughter

rare – great

reid - red

rinnin' – running

romance – romance

roomies – rooms

roon – round

roosty – rusty

rowie – a unique local breakfast roll

sair – sore

sassage – sausage

sasser – saucer

scaffies – refuse collectors

seen – soon

selt – sold

73

Seterday – Saturday

shooders – shoulders

sic – such

sinse – sense

siven – seven

skirlin' – screaming

skirly – a Scottish oatmeal dish

sna' - snow

soond – sound

soor – sour

spare – very angry

speirin' – asking

spen'in' – spending

spik - speak

spint – spent

spleet – absolutely

staals – stalls

stand – buy

stanin – standing

Sunty – Santa Claus

sweemin' – swimming

Sweepie – Chimney Sweep

swunkie – swanky, dressy, fancy

syne – soon

tae - to

taes – toes

tak – take

tatties – potatoes

teen - took

tellin' – telling

tell't – tell it (told)

thegither –together

thole – tolerate

thoosan's – thousands

thund'rin' – thundering

tight – drunk

timper – temper

Tivoli – former local theatre

toon – town

tummel – tumble

twa – two

twinty – twenty

umpteen – many

Unty – Auntie

wa' – wall

waashed – washed

waatch – watch

wak – walk

wakken – waken

wakkin' – walking

watter – water

waur – worse

weerin' – wearing

weel - well

weemin – women

weet – wet

whilie – while

whit – what

wi' – with

wid - would

wifie – woman

wiks – weeks

wind'rin' – wondering

winna – won't

winner – wonder

Winsday – Wednesday

wint – went or want

winted - wanted

wintin' –wanting

wir - our

wirsel's –ourselves

wis - was

wise – sane

wisna – wasn't

wither – weather

withoot – without

wrang – wrong

wye – way ("Fit wye? = "How come?)